FOSGAIL LE FAICEALL

Dha Dylan, Sam agus Alex
N.B.

Dham mhàthair agus m' athair a bha a-riamh a' toirt dhomh taic, ach a' leigeil dhomh a bhith dhen bheachd gun robh mi air mo cheann fhìn.
N.O.

FOSGAIL LE

A' chiad fhoillseachadh sa Bheurla 2013 le Nosy Crow Earr
The Crow's Nest, 10a lant Street, Lunnainn SE1 1QR
www.nosycrow.com

A' chiad fhoillseachadh sa Ghàidhlig ann an 2018 le Acair
An Tosgan, Rathad Shìophoirt, Steòrnabhagh, Eilean Leòdhais HS1 2SD

info@acairbooks.com
www.acairbooks.com

An tionndadh Gàidhlig Norma NicLeòid
An dealbhachadh sa Ghàidhlig le Mairead Anna NicLeòid

Tha Acair a' faighinn taic bho Bhòrd na Gàidhlig.

Gheibhear clàr catalog CIP airson an leabhair seo ann an Leabharlann Bhreatainn.

Clò-bhuailte ann an Sìona

LAGE/ISBN 978-1-78907-008-8

Riaghladair Carthannas na h-Alba

Carthannas Clàraichte/
Registered Charity SC047866

An Tunnag Ghlas

FAICEALL

Hans Christian Andersen

Nicola O'Byrne

Faclan Nick Bromley

A' Ghàidhlig Norma NicLeòid

Uair a bha siud, bha tunnag ann le trì tunnagan beaga brèagha agus aon . . .

Fuirich mionaid!

Gu dè tha siud?

Tha mi a' feuchainn ris an stòiridh *An Tunnag Ghlas* a leughadh dhuibh, ach tha rudeigin san leabhar nach eil còir a bhith ann!

Fuirich ort!
Càit an deach
e a-nis?
'S dòcha gun
d' fhuair e às?
No 's dòcha gun
deach e air falach?

An gabh thu ort a lorg?

Gabhaidh?

Siuthad ma-thà,
tionndaidh
an duilleag
ach bi glè,
glè
fhaiceallach . . .

'S e . . .

...**CROGALL** a th' ann!

Fear mòr eagalach!

Gu dè a tha e a' dèanamh
san leabhar seo?

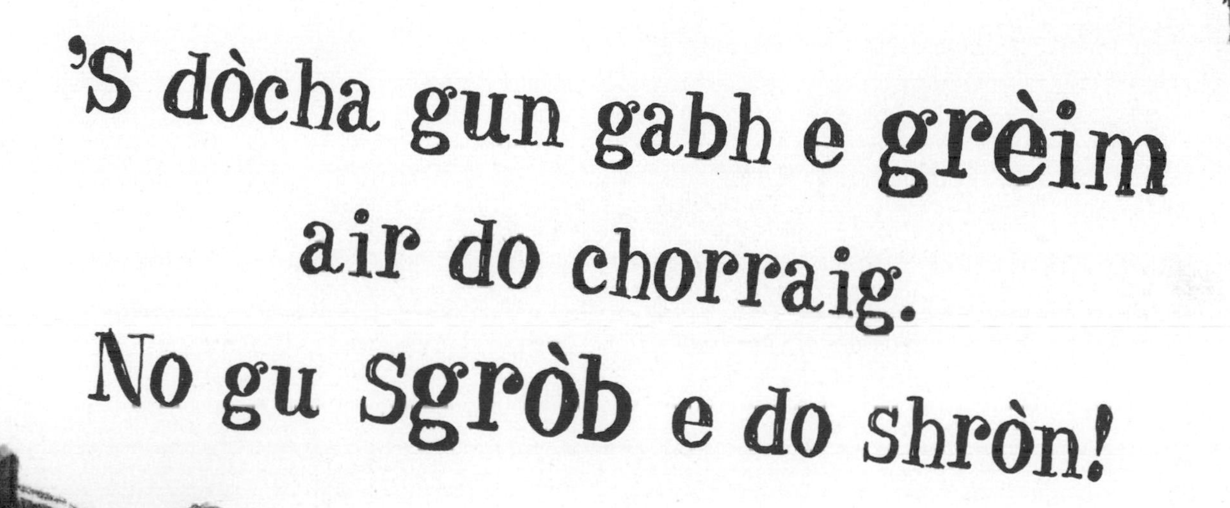

'S dòcha gun gabh e grèim
air do chorraig.
No gu sgròb e do shròn!

Chuala mise gur toigh
le crogaill a bhith
a' dèanamh sin.
Fuirich air ais
dìreach gun fhios . . .

Thoir an aire!

Tha e a' gluasad.

Gu dè tha e
a' dèanamh?

Tha e ag ithe
nan litrichean!

'S iongantach mura bheil
an t-acras air!

U
U
I
U
U
Tha mi
a' smaoineachadh
gur e U agus I
an fheadhainn
as fheàrr leis.
Sg r!
A Mhgr Crogall!
Chan fhaod th na
l tr chean the!

A-nis tha e a' cagnadh . . .

Chan urrainn dhuinn leabhar gun litrichean a bhith againn!

Gu dè a leughas sinn . . . mura bheil seantansan ann?

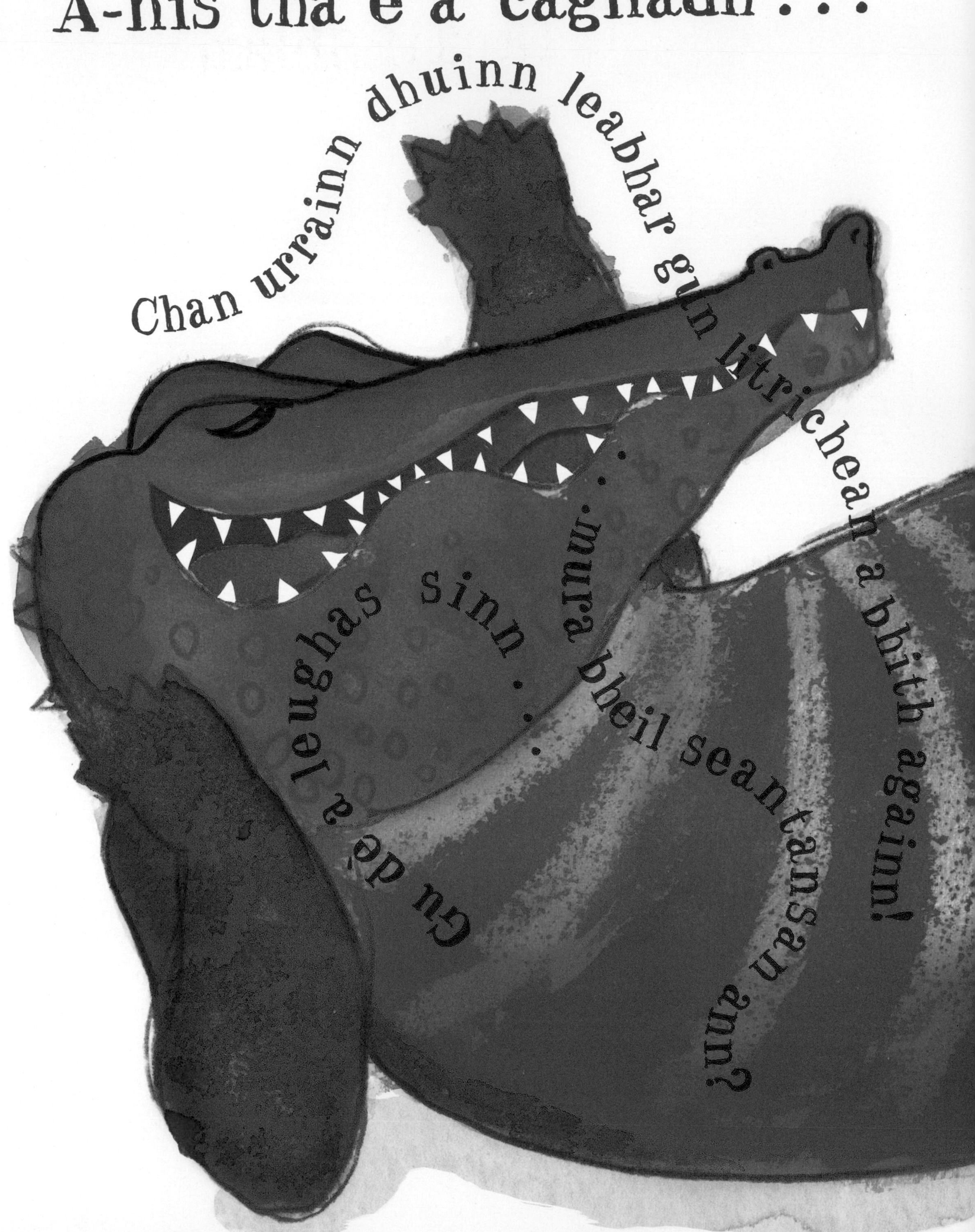

. . . facail shlàn
agus
seantansan!

Feumaidh sinn stad a chur air . . .

Nach fheuch sinn
ris an leabhar
a chrathadh

air ais 

agus

 **air adhart.**

Mar sin . . .

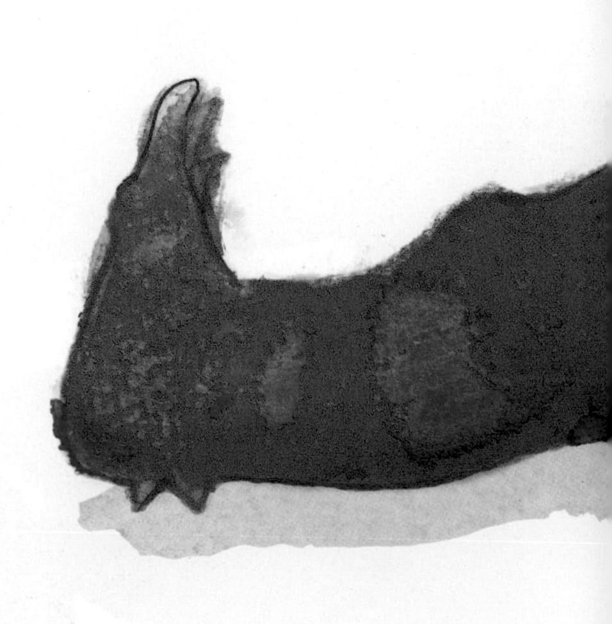

Seall . . .
Tha e gus
tuiteam
na chadal . . .

À-A-A-A-A . . .

Tha e na shuain.

Tha mi cinnteach . . .

. . . lorgaidh sin creadhan.

Ma tha thusa a' dol a dh'ithe nam faclan againne,

a Mhgr Crogall, tha sinne a' dol a dhèanamh dealbh **ortsa!**

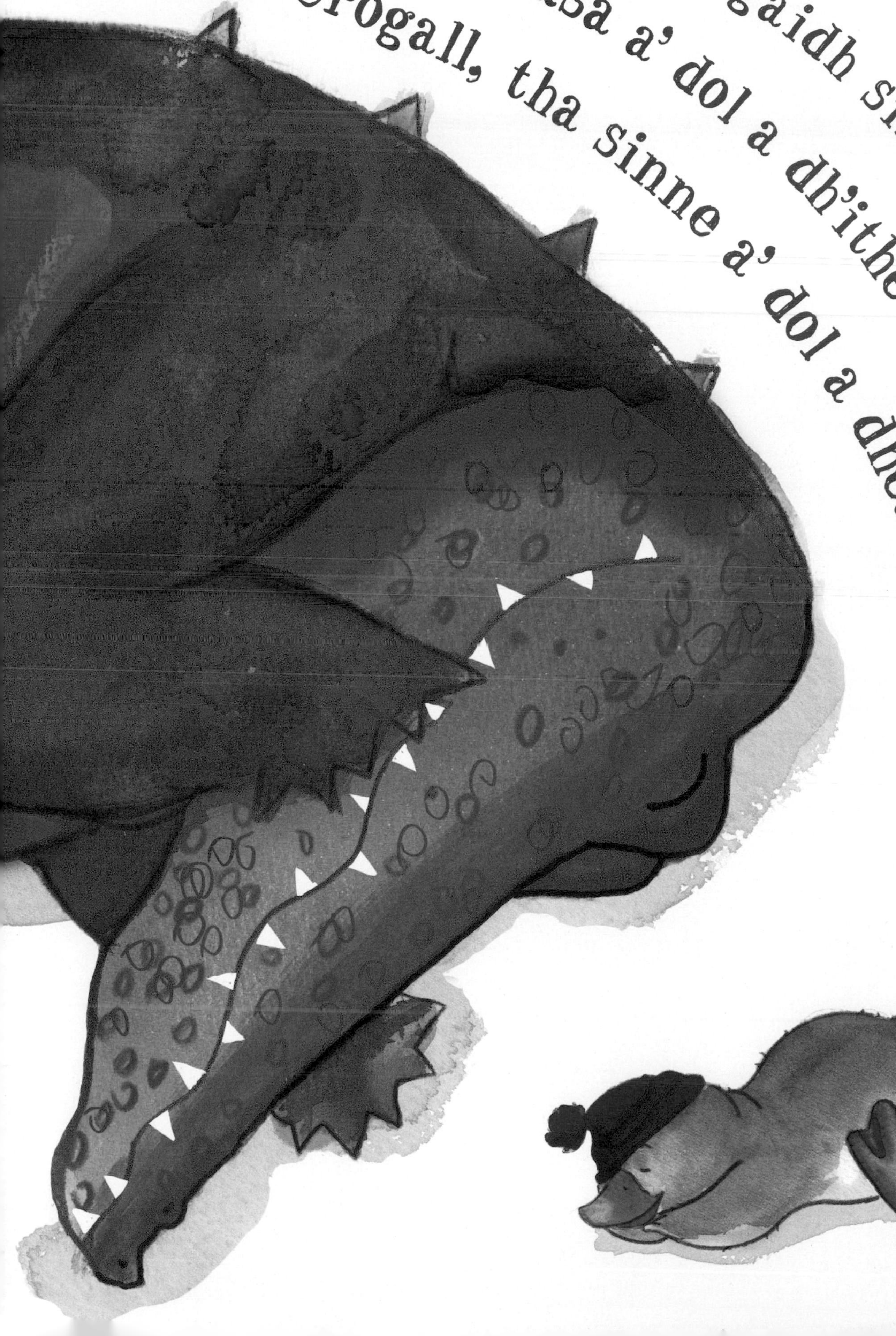

IS IS IS IS IS . . .

Chan e crogall faisg cho eagalach

a th' ann a-nis!

Ò, mo chreach-sa!

'S dòcha gur e crogall eagalach
a th' ann gun teagamh!
Tha na bha siud de dhealbhan
air a dhùsgadh!

Agus chan eil e a' coimhead
ro thoilichte mun tutu ud.
Cha bhi crogaill a' dèanamh ballet!

Thoir an aire!

Tha mi a' smaoineachadh
gun d' fhuair e a leòr
dhen leabhar
seo . . .

Tha mi
a' smaoineachadh
gu bheil e
a' dol a dhèanamh às!

Air
falbh
leis . . .

Aobhag!

Cò a-riamh a smaoinich
gum biodh e cho duilich
faighinn a-mach à leabhar?

'S dòcha ma chrathas tu an leabhar, gun tuit e a-mach.

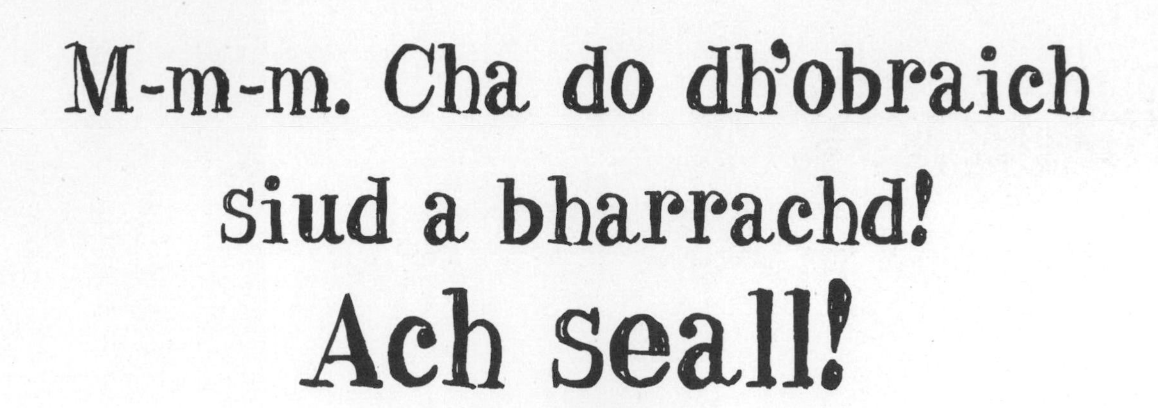

M-m-m. Cha do dh'obraich
siud a bharrachd!

Ach seall!

Tha e air obrachadh
a-mach
gu dè a nì e.

Tha e
a' cagnadh
toll
tron
duilleig.

Agus tha e an ìre mhath a-muigh!

Mar sin leat, a Mhgr Crogall!

Cha robh eagal sam bith ormsa. An robh ortsa?

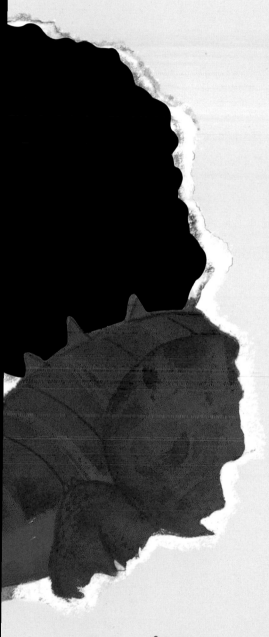

Ach càit an
tèid e a-nis?
ò aige tha fios!